Vanyda

Valentine

tome 4

Couleurs : Drac

DARGAUD
BENELUX

Après la première édition en noir et blanc (parue sous le titre de *Celle que...*), redécouvrez cette histoire en 6 albums couleurs (sous le titre de *Valentine*).

Vous voulez connaître la suite ?
Laissez-nous votre e-mail sur **http://www.dargaud.com/valentine/alerte**
pour être alerté dès la sortie du prochain tome de Valentine !

Conception graphique : Cynthia Thiéry

www.dargaud.com

© 2014 VANYDA - DARGAUD BENELUX (Dargaud-Lombard s.a.)
PREMIÈRE ÉDITION
Tous droits de traduction, de reproduction et d'adaptation strictement réservés pour tous pays.
Dépôt légal : d/2014/0086/046 • ISBN 978-2-5050-6001-7
Imprimé et relié en France par PPO Graphic, 91 120 Palaiseau

DÉCIDÉMENT, T'ES JAMAIS À L'HEURE, TOI !

DÉSOLÉE !
BON, T'AS DE LA CHANCE, EN BOÎTE, VAUT MIEUX NE PAS ARRIVER TROP TÔT.

Y A OPHÉLIE QUI EST LÀ, ON VA RENTRER TOUTES ENSEMBLE, COMME ÇA TU PAIERAS PAS...
J'AURAIS JAMAIS DÛ METTRE CES CHAUSSURES... JE ME SENS HYPER MAL À L'AISE AVEC !
... VU QU'ON FAIT PARTIE DE L'ORGANISATION.
AH ! SALUT !

QU'EST-CE QUE JE FAIS ICI ?

AH ! T'ES LÀ !
ÇA VA, MON DÉCOLLETÉ ? ÇA FAIT PAS TROP PUTE ?
HEU... NON, ÇA VA.

ET T'AS VU CE SUPER JEAN TAILLE BASSE QUI ME FAIT UNE DESCENTE DE REINS DE DINGUE ?

SI AVEC ÇA JE CHOPE PAS UN MEC CE SOIR, JE COMPRENDS PAS.

ON S'ÉCLATE, NON ? TU VIENS ? ON Y RETOURNE !
JE VAIS ME CHERCHER À BOIRE ET J'ARRIVE.

HÉ ! RESTE PAS SEULE ! VIENS DANSER !
NON, MERCI, J'AI MAL AUX PIEDS.

OUF ! J'AURAI AU MOINS ÉVITÉ ÇA !

ET... JE NE VOIS TOUJOURS PAS JULIETTE ET MELVIN.
ILS M'AVAIENT POURTANT DIT QU'ILS VIENDRAIENT...

HELLO, TOUT LE MONDE ! BONNE ANNÉE !
AH ! SALUT, VALENTINE ! BONNE ANNÉE !

ALORS ? FINALEMENT, VOUS N'ÊTES PAS VENUS À LA SOIRÉE EN BOÎTE ?

BEN SI ! MAIS ON N'A PAS PU RENTRER.
AH BON ? À CAUSE DES TONGS DE MELVIN ?

NON ! IL AVAIT EMPRUNTÉ LES CHAUSSURES DE SON FRÈRE.
FRANCHEMENT, ON ÉTAIT BIEN SAPÉS. C'EST PLUTÔT LA COULEUR DE PEAU QUI LEUR POSAIT PROBLÈME, À MON AVIS.
QUOI ?!
MAIS ! ILS N'ONT PAS LE DROIT !
T'ES NAÏVE ! ÇA NE LES EMPÊCHE PAS DE LE FAIRE QUAND MÊME !

C'EST BON, JULIETTE ! ON VA PAS EN FAIRE TOUT UN PLAT ! C'EST SANS DOUTE PAS LA DERNIÈRE FOIS QUE ÇA M'ARRIVERA.

COMMENT ÇA, "TOUT UN PLAT" ? C'EST QUAND MÊME GRAVE, J'SUIS DÉSOLÉE !
FAIS PAS LE BLASÉ !

OUI ! MAIS TU VAS PAS EN PARLER ENCORE PENDANT DES JOURS...
ATTENDS ! C'ÉTAIT UNE SOIRÉE ORGANISÉE PAR LE LYCÉE !
TU ES ÉLÈVE DE CE LYCÉE ET TU N'AS PAS EU LE DROIT DE RENTRER. IL FAUT EN PARLER, QUE ÇA SE SACHE ! C'EST PAS NORMAL !

JE SUIS D'ACCORD !
MAIS QU'EST-CE QU'ON PEUT FAIRE ?

JE SAIS PAS TROP... MAIS JE NE VAIS PAS RESTER SANS RIEN FAIRE, ÇA, C'EST SÛR !

O.K., TU FAIS CE QUE TU VEUX, MAIS LAISSE-MOI EN DEHORS DE ÇA.
ARRÊTE DE FAIRE LE GARS DÉTACHÉ DE TOUT !
JE SAIS BIEN QUE ÇA T'A DÉGOÛTÉ, MÊME SI TU VEUX PAS LE MONTRER !
DRIIIIING

BON, SUR CE, J'Y VAIS. À TOUT' !
OUAIS, SALUT, MELVIN...
SALUT, VALENTINE, BONNE ANNÉE !

C'EST QUOI, CETTE EMBROUILLE ? N'IMPORTE QUOI !

TOUT LE MONDE POUVAIT RENTRER, TU L'AS BIEN VU COMME MOI.

BEN, ATTENDS, S'IL ME DIT QU'IL EST VENU ET QU'IL A PAS PU RENTRER, Y A QUAND MÊME UN PROBLÈME, NON ?
C'ÉTAIT UNE SOIRÉE ORGANISÉE PAR LE LYCÉE, N'IMPORTE QUI DU LYCÉE AURAIT DÛ POUVOIR RENTRER !

OUI, MAIS SI TON POTE, IL NE SAIT PAS CE QUE C'EST, UNE TENUE CORRECTE, ON NE PEUT RIEN POUR LUI !

MAIS PUISQUE JE TE DIS QU'IL ÉTAIT BIEN HABILLÉ !
ARRÊTE, ÉMILIE ! C'EST CARRÉMENT PROBABLE QU'IL Y AIT EU DISCRIMINA-TION !

AH ! TOUT DE SUITE LES GRANDS MOTS !

BON, O.K., J'EN PARLERAI À OPHÉLIE, SI ÇA VOUS FAIT PLAISIR...
PASSONS À AUTRE CHOSE : J'AI PRIS UNE GRANDE DÉCISION...

J'AI DÉCIDÉ DE ME FAIRE TATOUER.

MAIS J'HÉSITE ENTRE LE BAS DU DOS ET PRÈS DU NOMBRIL...

MAIS C'EST SUPER, ÉMILIE !

OUI, HEIN ?

FAUT JUSTE QUE J'ARRIVE À CONVAINCRE MES PARENTS...

BON, VALENTINE, C'EST TOI, LE PLUS PETIT CHIFFRE.
TU VAS CHERCHER DE L'EAU ?
MERDE ! ÉMILIE, T'ABUSES !

C'EST BON, ON N'EST PLUS AU COLLÈGE ! SI TU VEUX DE L'EAU, TU VAS EN CHERCHER TOI-MÊME !

ROOH ! ÇA VA, YAMINA, J'Y VAIS !
PUTAIN ! DÉJÀ QU'ON SE VOIT PRESQUE PLUS...
SI ON NE PEUT MÊME PLUS FAIRE NOS PETITS DÉLIRES D'AVANT ENSEMBLE...

SI ÇA CONTINUE, JE VAIS FAIRE COMME JULIE...
... ET RESTER AVEC LES FILLES DE MA CLASSE.

J'AIME PAS QUAND ELLE FAIT ÇA ! ELLE JOUE À LA CONNE. ÇA M'ÉNERVE...

EN TOUT CAS, POUR L'HISTOIRE DE LA BOÎTE, JE TROUVE ÇA GRAVE AUSSI...
VOUS ALLEZ FAIRE QUOI ?

BEN, JE SAIS PAS TROP... JULIETTE ÉTAIT HYPER REMONTÉE, ELLE VOULAIT ALLER VOIR LE DIRECTEUR...
... OU ALORS, PEUT-ÊTRE EN PARLER DANS LE JOURNAL DU LYCÉE.

HUM...

JE VOUS REJOINS APRÈS, LES FILLES. JE DOIS FILER UN TRUC À THIERRY ! À TOUT DE SUITE...
AH, O.K. !
D'ACCORD, REJOINS-NOUS DEVANT LE LYCÉE, FAUT QUE JE FUME MA CLOPE.

TIENS, J'EN PROFITE TANT QUE YAMINA N'EST PAS LÀ, VU QU'ELLE NE POURRAIT PAS VENIR, DE TOUTE FAÇON...
... ÇA TE DIRAIT DE VENIR AVEC MOI À UNE SOIRÉE, SAMEDI SOIR ?

Y AURA SANS DOUTE LE FRÈRE D'OPHÉLIE !
JE VAIS POUVOIR RETENTER MA CHANCE !

HEU... J'SAIS PAS TROP... J'SUIS PAS VRAIMENT INVITÉE.
ET JE LES CONNAIS PAS.
RAISON DE PLUS, Y AURA PEUT-ÊTRE D'AUTRES BEAUX GOSSES...

ALLEZ, S'IL TE PLAÎT ! T'ES MA MEILLEURE AMIE, AVEC QUI JE VAIS Y ALLER, SINON ?

JE SAIS PAS...
ET PUIS... C'EST TOI QUI AS FAIT FOIRER MON COUP, LA DERNIÈRE FOIS.

BON...
JE VAIS VOIR...
GÉNIAL ! JE T'ADORE !

J'AI !

BOMF

ÇA VA, VALENTINE ?

RIEN DE CASSÉ ?
TU T'ES FAIT MAL ?

HA, HA, HA, HA !

HOU ! HOU ! NON, NON, PAS DE PROBLÈME !

GAËLLE, TU PEUX ME RAPPELER NOTRE SCORE, DÉJÀ ?
2 À 13...

HA, HA, HA, HA !

C'EST BON ? ON PEUT CONTINUER LA PARTIE ?

HO ! ÇA VA, HEIN !
SI ON NE PEUT MÊME PLUS SE LAMENTER TRANQUILLEMENT SUR SON SORT...

T'AURAIS VU ÇA ! ON ÉTAIT COMPLÈTEMENT LAMENTABLES !
ET PLUS ON PERDAIT, PLUS ÇA ME FAISAIT RIRE, ET MOINS J'ARRIVAIS À JOUER.

ET KARINE ET BARBARA RESTAIENT HYPER SÉRIEUSES, TROP CONTENTES DE NOUS ÉCRASER ...
DU COUP, ON A PERDU TOUS NOS MATCHS, MAIS ON S'EST BIEN MARRÉS !

ÇA ME RAPPELLE CET ÉTÉ.
J'ÉTAIS EN TRAIN DE ME FAIRE DRAGUER PAR UN MEC...

... ET JE SUIS TOMBÉE DU CAPOT DE LA VOITURE OÙ ON ÉTAIT ASSIS. DU COUP, JE ME TROUVAIS TELLEMENT RIDICULE QUE JE N'ARRÊTAIS PAS DE RIRE !
ET LUI, IL ÉTAIT À FOND DANS SON PLAN DRAGUE ET ÇA NE L'A PAS DU TOUT FAIT MARRER !

HA HA !
IL RESTAIT SUPER SÉRIEUX... ALORS QU'IL ÉTAIT TROP NUL COMME MEC, EN PLUS !

HÉ, MISS !
T'AS PAS FROID AVEC TON MINISHORT ?
QUI ÇA ? MOI ?

HEU... NON, ÇA VA...
PARCE QUE JE PEUX TE RÉCHAUFFER, SI TU VEUX...

HA, HA, HA !
QU'EST-CE QU'IL Y A ?
C'EST TOI, TU ME FAIS RIRE !

HA HA !
T'ES UNE CHAUDE DU CUL, OU QUOI ?
C'EST BON, ÇA VA ALLER, MERCI !
LES GROS LOURDS !

MAIS C'EST VRAI QUE TU NE DOIS PAS AVOIR CHAUD EN SHORT !
VIENS LÀ !

PAUVRE PETITE, VA !

AU FAIT ! ÇA TE DIT DE VENIR AVEC MOI VOIR LE RÉDACTEUR DU JOURNAL DU LYCÉE ?

D'ACCORD !
JE SAIS BIEN QUE MELVIN N'A PAS TROP ENVIE QU'ON EN PARLE, MAIS MOI, J'AI PAS ENVIE DE LAISSER PASSER ÇA...

DONC VOILÀ, ON S'EST POINTÉS ET ILS NOUS ONT DIT QUE C'ÉTAIT COMPLET, ALORS QUE LE GROUPE PRÉCÉDENT ÉTAIT ENTRÉ.
ET ENSUITE, ON A VU D'AUTRES GENS ARRIVER ET RENTRER SANS PROBLÈME.

ET QUE ÇA ARRIVE RÉGULIÈREMENT, ÇA NE TE CHOQUE PAS ?
OUI, BON, ÇA ARRIVE TOUS LES SAMEDIS SOIR PARTOUT EN VILLE, C'EST PAS UN SCOOP !

C'ÉTAIT QUAND MÊME UNE SOIRÉE DU LYCÉE.
OUAIS, ET VOUS ÊTES SÛRS QUE VOUS N'ÊTES PAS PARANOS ?

PARCE QUE JE N'AI PAS EU D'AUTRES TÉMOIGNAGES DANS CE SENS-LÀ...
ET PUIS, J'AI DÉJÀ BOUCLÉ LE SOMMAIRE DU PROCHAIN NUMÉRO, ÇA NE M'ARRANGE PAS.

VU COMMENT TU REÇOIS LE MIEN, DE TÉMOIGNAGE, ÇA NE M'ÉTONNE PAS TROP QUE TU N'EN AIES PAS EU D'AUTRES.

MOUAIS... BON, PRÉSENTE-MOI UNE ÉBAUCHE D'ARTICLE...
... ET JE VERRAI SI J'AI ÉVENTUELLEMENT DE LA PLACE DANS LE NUMÉRO SUIVANT...

PUTAIN !

C'EST QUOI, CE LYCÉE DE MERDE OÙ IL SE PASSE UN TRUC GRAVE ET OÙ TOUT LE MONDE S'EN FOUT ?
C'EST CLAIR !

CONNARD DE DÉLÉGUÉ !

ÇA M'ÉNERVE, LES PETITS CONS COMME PIERRE QUI S'ACCROCHENT À LEUR PETIT POUVOIR...

JE VAIS CERTAINEMENT PAS ATTENDRE QU'ON ME FASSE L'AUMÔNE D'UN BOUT DE TORCHON POUR M'EXPRIMER.
QU'EST-CE QU'IL CROIT, LUI ? QUE PARCE QUE LE SYSTÈME SCOLAIRE LUI A DONNÉ DES RESPONSABILITÉS, IL PEUT TOUT SE PERMETTRE ?
FRANCHEMENT, C'EST LÀ QU'ON VOIT QUE L'INTELLIGENCE, CE N'EST PAS QUE DES NOTES SUR UN BULLETIN. DANS UN CAS COMME CELUI-LÀ, C'EST FLAGRANT !

MERDE, À QUOI IL SERT, SON CON DE JOURNAL, SI ON NE PEUT PAS PARLER DE CE GENRE DE CHOSE DEDANS ?!

PUTAIN ! C'EST LA DERNIÈRE FOIS QUE JE ME FAIS AVOIR !
C'EST TOUJOURS PAREIL AVEC ELLE !
TU SERS DE FAIRE-VALOIR PENDANT QU'ELLE DRAGUE, ET UNE FOIS QU'ELLE A CHOPÉ LE MEC, ELLE T'OUBLIE COMPLÈTEMENT.

essage math

t'1kiète, petite fille, si ta besoin, di moi ou tu é, é je viendré te chercher...

uveau messa

je suis chez des cons qui se la pète grave et Emilie est en train de se fair peloter devant moi

essage mathy

ha ha ! par ki ? faudra ke tu me racont ça de vive voix !

YEP, PETITE FILLE ! ÇA FAISAIT LONGTEMPS !

ALORS, ÇA Y EST ? T'ES PLUS FÂCHÉE ?
PLUS TROP...

ÇA ME FAIT PLAISIR DE TE VOIR...

... NON, LA FILIÈRE TECHNOLOGIQUE, C'EST BIEN, SAUF QU'IL Y A PÉNURIE DE GONZESSES !
DANS MA CLASSE, Y EN A DEUX.
L'UNE, SON SURNOM, C'EST "CAGEOT".
ET LA DEUXIÈME, "DENTS DE LAP'". J'TE LAISSE IMAGINER POURQUOI.
HA, HA !
C'EST DANS CES CAS-LÀ QUE JE ME DEMANDE...
... MAIS POURQUOI J'AI QUITTÉ JULIE ?!
ÇA, C'EST BIEN LA QUESTION !
EN PLUS...
JE L'AI REVUE DE LOIN, COMMENT ELLE EST DEVENUE BONNE !
HEIN ?!

HÉ ! FAIS GAFFE À COMMENT TU PARLES DE MES COPINES, TOI !
PAS FRAPPER ! PAS FRAPPER !

T'AS DE LA CHANCE QUE JE SOIS D'ACCORD AVEC TOI ! ELLE A BIEN GRANDI, CELLE-LÀ !

NON, MAIS SANS DÉCONNER, JE SUIS DÉSOLÉ DE CE QU'IL S'EST PASSÉ AVEC JULIE.
JE VOYAIS BIEN QU'ELLE ÉTAIT À FOND... ET J'AI PRÉFÉRÉ ARRÊTER AVANT QU'ELLE SE FASSE TROP DE FILMS.
AH BON ? TOI, T'ÉTAIS PAS À FOND ?

BEN, ELLE ÉTAIT MIGNONNE, ET VOILÀ. TU SAIS BIEN COMMENT ÇA SE PASSE.
POURQUOI T'ES SORTI AVEC ELLE, SI TU T'EN FOUTAIS, D'ELLE ?

ET TOI ? AVEC TON LUCAS ? T'EN ÉTAIS FOLLE AMOUREUSE ?
HEU...

TU VOIS, C'EST COMME ÇA...
JE NE M'EN FOUTAIS PAS, MAIS C'ÉTAIT PAS NON PLUS LA FEMME DE MA VIE !

JE T'ASSURE, JE NE VOULAIS PAS LUI FAIRE DU MAL...

BON, ET SINON, ALORS...
... T'AS VU ÉMILIE SE FAIRE TRINGLER SUR LE CANAPÉ DEVANT TOI ?
MAIS NON ! HA, HA ! T'ES CON, TOI ! J'AI JAMAIS DIT ÇA !
BON J'T'EXPLIQUE... J'ÉTAIS À UNE SOIRÉE AVEC LES COPINES DE CLASSE D'ÉMILIE...

ET DONC, ELLE A ENFIN RÉUSSI À SORTIR AVEC LE FRÈRE D'OPHÉLIE ?

HÉ OUAIS ! APRÈS PLUSIEURS SEMAINES DE FRUSTRATION, ELLE L'A ENFIN EU !
AH, AH ! MAIS LA QUESTION EST : VA-T-ELLE COUCHER AVEC LUI ? ON LE SAURA AU PROCHAIN ÉPISODE !
BON, REVENONS À NOS MOUTONS...

CETTE ROBE-LÀ, J'AIME PAS TROP, ÇA FAIT VRAIMENT PAQUET CADEAU.
LES FROUFROUS PARTOUT COMME ÇA, C'EST PAS TERRIBLE !

PAR CONTRE, CELLE-LÀ, J'AIMERAIS TROP L'AVOIR POUR ALLER À UNE CONVENTION DE MANGA...
LAQUELLE ?

C'EST CELLE-LÀ.
HA, OUAIS...

ON VA ALLER À UN SALON DU MANGA, AVEC LE FANZINE ?
JE SAIS PAS, FAUT VOIR LE PRIX DU STAND, PLUS LE TRANSPORT ET L'HÉBERGEMENT. ÇA RISQUE DE REVENIR CHER !

MAIS, BON, SI ON VEUT FAIRE CONNAÎTRE NOTRE FANZINE, C'EST LE MEILLEUR MOYEN.
ET PUIS, J'AIMERAIS BIEN VOIR CE QUE FONT LES AUTRES. POUR COMPARER UN PEU.
ÇA ME FAIT PENSER, TU SAIS, POUR L'HISTOIRE DE JULIETTE ET DE SON POTE MELVIN, LÀ...

JE ME DISAIS QU'ON POURRAIT PEUT-ÊTRE EN PARLER DANS LE FANZINE.
FAIRE UNE RUBRIQUE DU GENRE "COUP DE GUEULE" OÙ ON POURRAIT S'EXPRIMER LIBREMENT SUR UN SUJET.

FRANCHEMENT, ÇA SERAIT SUPER !
MAIS ÇA N'A PAS TELLEMENT DE RAPPORT AVEC LE JAPON NI AVEC LES MANGAS. TU CROIS QUE LES AUTRES SERONT D'ACCORD ?

DE TOUTE FAÇON, C'EST MOI, LA RÉDACTRICE EN CHEF ! LES AUTRES N'ONT RIEN À DIRE !
HÉ, T'ES UN PEU TYRANNIQUE, TOI !
HA, HA ! NON, JE PRENDS DES INITIATIVES, C'EST PAS PAREIL...

PARCE QU'À PART THIERRY, LES AUTRES, ILS SONT UN PEU DURS À LA DÉTENTE...
C'EST MARRANT COMME ÇA CHANGE TOUT, LE FAIT QU'ON SE RETROUVE JUSTE À DEUX, DANS CE CLUB DE MANGA.

C'EST-À-DIRE ?
BEN, TU VOIS, AVEC ÉMILIE ET JULIE, ON NE POUVAIT PAS VRAIMENT PARLER DE CETTE MANIÈRE.

JE VOIS CE QUE TU VEUX DIRE. LE FAIT DE TRAÎNER AVEC D'AUTRES PERSONNES AUSSI, ÇA FAIT QU'ON ÉVOLUE DIFFÉREMMENT.
D'AILLEURS, ÇA FAIT UN MOMENT QU'ON NE L'A PAS VUE, JULIE.

C'EST VRAI. PAR CONTRE, JE... J'AI VU...
HEU... NON, LAISSE TOMBER.
BEN SI, VAS-Y, DIS !

DEPUIS, ON S'ÉCRIT DES SMS DE TEMPS EN TEMPS, ET DU COUP, ON S'EST VUS CE WEEK-END.
ON A REPARLÉ DE JULIE... IL EST DÉSOLÉ ET TOUT. IL N'ÉTAIT PAS AMOUREUX, ALORS VOILÀ, QUOI !

BEN, HEU... PAR RAPPORT À ELLE ET AU FAIT QU'ON FAISAIT LA GUEULE À MATHYS PARCE QU'IL L'A JETÉE...
TU SAIS, À LA BRADERIE, QUAND JE ME SUIS PERDUE... EN FAIT, J'AI REVU MATHYS.

TU SAIS, VALENTINE, T'AS PAS À TE SENTIR COUPABLE DE RENOUER AVEC LUI...
MATHYS, C'ÉTAIT TON POTE TOUT AUTANT QUE JULIE.

C'EST VRAI, MAIS...

SUR LE COUP, ÇA M'AVAIT SEMBLÉ JUSTE. ON A PRIS LE PARTI DE NOTRE COPINE QUI S'ÉTAIT FAIT LARGUER...

MAIS ON N'AVAIT PAS VRAIMENT À CHOISIR UN CAMP.

ÇA, C'EST VRAIMENT UN ÉTAT D'ESPRIT À LA ÉMILIE, MAIS...
... JE NE SUIS PLUS FORCÉMENT D'ACCORD AVEC SA FAÇON DE PENSER.

ALORS, QU'EST-CE QUE T'AS FAIT HIER, VALENTINE ?
YAMINA EST VENUE CHEZ MOI, ON A PAS MAL PARLÉ DU FANZINE ET PUIS ON A REGARDÉ UN DVD.

AH OUI ? C'ÉTAIT QUOI ?
C'ÉTAIT "SLEEPY HOLLOW" DE TIM BURTON.

IL EST CHOUETTE, HEIN ?
OUAIS, C'EST CARRÉMENT SYMPA COMME FILM.

ET DE LUI, T'AVAIS VU "BEETLE JUICE" ? C'EST UN VIEUX, MAIS IL EST VRAIMENT BIEN AUSSI !
AH NON, JE CONNAIS PAS.

JE TE PRÊTERAI LE DVD, SI TU VEUX...

AH OUAIS ! O.K. !

ET SON DERNIER, TU L'AS VU ?

OUAIS ! C'ÉTAIT GÉNIAL !

AH OUI , ÇA T'A PLU ? MOI, J'AI MOYENNEMENT ACCROCHÉ...
AH BON ?

BON, O.K., À LA BASE, C'EST ADAPTÉ D'UNE COMÉDIE MUSICALE, MAIS QUAND MÊME.

MOI, CE SONT LES CHANSONS QUI M'ONT UN PEU SOÛLÉ.
OUAIS, MOI AUSSI !

GUILI-GUILI
LA CHANSON DU JEUNE, EN BOUCLE... À LA FIN, J'EN POUVAIS PLUS, C'ÉTAIT INSUPPORTABLE !

HÉ ! MAIS...
HÉ, HÉ ! C'EST MOI !

HA...

SALUT, ÇA VA ?
PAR CONTRE JOHNNY DEPP EST EXCELLENT COMME D'HABITUDE !
HEU... OUAIS, ÇA VA.

MAMAN ? TU REGARDES QUELQUE CHOSE À LA TÉLÉ CE SOIR ? J'AIMERAIS BIEN REGARDER UN DVD.
AH ? NON. C'EST QUOI, COMME DVD ?

C'EST UN VIEUX FILM DE TIM BURTON, QU'ON M'A PRÊTÉ.

AH, OUI ! C'EST BIEN, JE L'AI VU AU CINÉMA QUAND IL EST SORTI.
JE VEUX BIEN LE REVOIR.

AH ? HEU... D'ACCORD.

TU VEUX UN BOUT DE LA COUVERTURE ?
NON, C'EST BON. MERCI.

AU FAIT, MAMAN...
... YAMINA ET MOI, ON AIMERAIT BIEN ALLER À UN SALON DU MANGA À PARIS, PENDANT LES VACANCES DE FÉVRIER.

AH ? VOUS VOULEZ Y ALLER COMMENT ?
HEU... BEN, EN TRAIN. MAIS ÇA DURE 2 JOURS, ALORS FAUDRA PEUT-ÊTRE QU'ON DORME À L'HÔTEL...

HUM... ON VERRA.

TA MÈRE, ELLE A VRAIMENT DIT ÇA ?

BEN OUAIS ! JE LUI EN AI PARLÉ HIER SOIR...
ET CE MATIN, ELLE M'A PROPOSÉ DE NOUS EMMENER À PARIS...
... PARCE QU'ELLE EN PROFITERAIT POUR ALLER VOIR UNE AMIE QUI HABITE LÀ-BAS ET QUI POURRA PEUT-ÊTRE NOUS HÉBERGER.

MAIS... C'EST CARRÉMENT FOU !
OUI, ÇA SERAIT BIEN QUE ÇA PUISSE SE FAIRE COMME ÇA !

SURTOUT, ÇA VEUT DIRE QUE...
... DANS DES CONDITIONS PAREILLES, MES PARENTS NE POURRONT PLUS REFUSER DE ME LAISSER Y ALLER !

MERDE, VALENTINE ! ON VA ALLER À LA CONVENTION !

C'EST GÉNIAL !
MERCIIIII !
ATTENDS, JE TE LAISSE... J'AI L'IMPRESSION QU'IL SE PASSE QUELQUE CHOSE AVEC LES FILLES DERRIÈRE MOI...

CLIC

HEY ! MAIS QU'EST-CE QUE VOUS FAITES ?
JE ME COUPE LES FOURCHES, ÇA TE POSE UN PROBLÈME ?

HI HI !
HA HA !

ALLEZ, ARRÊTE !
OUMF !

AAAAH ! BARBARA, TU SAIGNES !

MONSIEUR !
EXCUSE ! JE NE L'AI PAS FAIT EXPRÈS.
QU'EST-CE QU'IL SE PASSE ?

PUTAIN !

ELLE M'A PÉTÉ LE NEZ !

MERDE !

COMMENT ÇA, RENVOYÉE POUR DEUX JOURS ?!

Y A UNE FILLE DE MA CLASSE QUI N'ARRÊTAIT PAS DE M'EMBÊTER EN COURS.
ET EN ESSAYANT DE L'EMPÊCHER DE ME FAIRE CHIER, JE LUI AI MIS UN COUP, ET ELLE A SAIGNÉ DU NEZ.
TU LUI AS MIS UN COUP ?
C'EST QUOI, CETTE HISTOIRE ? TU RÈGLES TES PROBLÈMES PAR LA VIOLENCE MAINTENANT ?

QU'EST-CE QUI NE VA PAS, VALENTINE ?
MAIS C'EST ELLE QUI S'EST MIS LE COUP TOUTE SEULE EN PLUS !

AAH ! COMME SI J'AVAIS BESOIN DE ÇA EN CE MOMENT !

melvin
sophie
yamina
yuki

TOC
TOC

BON, J'AI RÉFLÉCHI, JE VAIS PRENDRE UNE JOURNÉE DE RTT APRÈS-DEMAIN, ON EN PROFITERA POUR FAIRE DU SHOPPING.

VOILÀ !
AH ! ET TU AS BIEN FAIT DE NE PAS TE LAISSER FAIRE !

HUMPH !

SUPER !
WOUH HOU !
EEERK !
BEUH !
PFFF...

VALENTINE !
DANS MES BRAS !

MERCI, MERCI !
ARGH ! MAIS ARRÊTE, TU M'ÉTRANGLES !

DÉCIDÉMENT !
COMMENT TU M'AS VENGÉE !
DÉFONCER LE NEZ DE BARBARA, C'EST MIEUX QUE CE DONT J'AVAIS TOUJOURS RÊVÉ !

ALORS, VALENTINE, EXPLIQUE-NOUS TOUT ! COMMENT T'AS FAIT ?
MAIS ARRÊTEZ ! J'AI CARRÉMENT PAS FAIT EXPRÈS !
CETTE CONNE S'EST PÉTÉ LE NEZ TOUTE SEULE AVEC SON PROPRE POING !

MAIS JE NE COMPRENDS PAS ? JE NE SAVAIS PAS QU'ELLES TE FAISAIENT CHIER COMME ÇA ! T'EN AS JAMAIS PARLÉ.
BEN, EN FAIT, ELLES ME FONT DES PETITES MESQUINERIES DEPUIS LE DÉBUT DE L'ANNÉE, MAIS COMME J'EN AI RIEN À FOUTRE, JE FAISAIS MÊME PLUS GAFFE.
C'EST VRAIMENT DES CONNASSES. FRANCHEMENT, ELLE A EU CE QU'ELLE MÉRITAIT.
ET KARINE ? IL FAUDRAIT LUI FAIRE SA FÊTE AUSSI !

ALLEZ, VALENTINE, TU VEUX PAS PÉTER UN AUTRE NEZ ?
HEU... SI JE ME FAIS ENCORE RENVOYER, JE CROIS QUE MA MÈRE VA VRAIMENT TIRER LA GUEULE, CETTE FOIS !
LE COUP DE LA LÉGITIME DÉFENSE, ÇA NE PASSE QU'UNE FOIS, EN GÉNÉRAL.

D'AILLEURS, ÇA VA ? ELLE A RIEN DIT POUR LA CONVENTION ?
PUTAIN, YAMINA ! T'ES VRAIMENT GRAVE AVEC ÇA MAINTENANT !
BEN, NON, AU DÉBUT ELLE A FAIT LA GUEULE ET APRÈS, ELLE M'A DIT QUE J'AVAIS BIEN FAIT !
J'AI RIEN COMPRIS !

HA ! VALENTINE, T'ES LÀ ! ÇA VA ?
COUCOU, JULIETTE !
TU NE PEUX PAS COMPRENDRE, ÉMILIE. ON VOIT QUE T'AS JAMAIS ÉTÉ IMPLIQUÉE DANS UN PROJET QUI TE TIENT À COEUR.
OH LÀ LÀ ! CE QUE TU PEUX ÊTRE HAUTAINE, DES FOIS !
PÈTE UN COUP, ÇA IRA MIEUX !

JE T'AI PRIS LES PHOTOCOPIES ET JE TE PRÊTERAI MON CLASSEUR, SI TU VEUX RATTRAPER LES COURS...
AH, SUPER ! MERCI !

PUTAIN, QUELLE HISTOIRE ! CE LYCÉE, C'EST N'IMPORTE QUOI !
J'AI TROP HALLUCINÉ QU'ILS TE RENVOIENT ALORS QU'ELLE S'EST FAIT ÇA QUASIMENT TOUTE SEULE !
OUAIS, JE SAIS !
QUAND ON TE CONNAÎT, ON SAIT BIEN QUE TU NE FERAIS PAS DE MAL À UNE MOUCHE !
OUAIS, BEN, JUSTEMENT. FAUT MONTRER QU'IL Y A QUAND MÊME DES LIMITES À NE PAS DÉPASSER ! ELLE A BIEN FAIT ! EN PLUS, ÇA M'A BIEN VENGÉE !

ÇA VA ? T'AS PAS EU TROP LA PRESSION CE MATIN EN MATH ?
COMMENT ELLE TE FUSILLAIT DU REGARD, BARBARA !
ÇA VA... ARRÊTEZ DE ME PARLER DE CETTE HISTOIRE !
DEPUIS CE MATIN, TOUT LE MONDE M'EN PARLE !

JE CROIS QUE TOUT LE MONDE A ÉTÉ IMPRESSIONNÉ. PERSONNE NE S'ATTENDAIT À ÇA DE TA PART !
HEU... BEN, À VRAI DIRE, MOI NON PLUS !

ÇA SERAIT BIEN DE SE FAIRE UN CINÉ.

TOUS LES TROIS ? AH, OUAIS ! POURQUOI PAS ?

HA, HEU... NON, JE PENSAIS PLUTÔT TOUS LES DEUX.

T'ES LIBRE QUAND ?
HA HEU...

ÇA Y EST, ILS SONT LÀ !

YAAAH ! SUPER ! MONTRE !

JE SUIS HYPER CONTENTE ! ÇA REND TROP BIEN !

REGAAARDE !
HÉ, LES COULEURS PASSENT BIEN À LA PHOTOCOPIE !

C'EST CLASSE !
OUI, HEIN !
DU COUP, ÇA Y EST, J'AI RÉSERVÉ LE STAND POUR LA CONVENTION MANGA !

O.K., COOL ! JE VIENDRAI AUSSI, COMME J'AI DE LA FAMILLE À PARIS.
ÇA VA ÊTRE TROP BIEN !

FRANCHEMENT, VALENTINE, C'EST SUPER !
C'EST PAS MAL, ÇA FAIT PRO ! VOUS LES VENDEZ COMBIEN ?
ON LES VEND 5 EUROS.

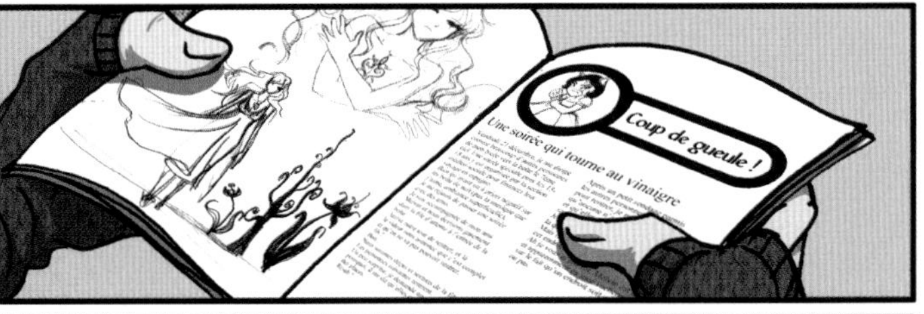
Coup de gueule !
Une soirée qui tourne au vinaigre

JE T'EN ACHÈTE DEUX !

POURQUOI DEUX ?
J'AI UN CADEAU À FAIRE.
VIENS, VALENTINE ! ON VA VOIR PIERRE !

HÉ, PIERRE !

TIENS, CADEAU !
PRENDS-EN DE LA GRAINE, C'EST TOI ET TON JOURNAL QUI AURIEZ DÛ EN PARLER !

MAIS NON ! BAH, CONTINUE À LÉCHER LE CUL DU DIRLO !

ELLE A UN PROBLÈME, TA COPINE, VALENTINE ?
SALUT !

ALORS, VALENTINE, ON A LAISSÉ TOMBER ÉMILIE ? ON S'EST TROUVÉ UN AUTRE PETIT CHEF À SUIVRE ?

T'ES VRAIMENT TROP CON !
NON, HEU... ATTENDS !

T'AURAIS PAS DES NOUVELLES DE JULIE ?
HEIN ?
T'AS ENCORE DE L'ESPOIR, TOI ?
FOUS-LUI LA PAIX, À JULIE !

C'ÉTAIT IMPORTANT POUR MOI, MELVIN. TU LE SAIS !
MERDE, FÉLIX !
OUI, J'AI BIEN COMPRIS !

AAAH ! ÇA ME FAIT PLAISIR, DE LE VOIR PUBLIÉ, CET ARTICLE !
ET ON PEUT LE VOIR, CE FANZINE ?

TU VERRAS, Y A UN ARTICLE PAS MAL, SUR UN GARS QUI SE FAIT JETER À L'ENTRÉE D'UNE BOÎTE !
TIENS.
MERCI.

RESTER IMPASSIBLE, RESTER IMPASSIBLE, RESTER IMPASSIBLE, RESTER IMPASSIBLE...

C'EST TA COPINE QUI DESSINE ÇA, NON ?

OUI, C'EST YAMINA.

C'EST CHOUETTE, CE QU'ELLE FAIT ! TU POURRAS LE LUI DIRE.

MOI, J'AIME BIEN AUSSI LES PETITS DESSINS TOUT RONDS DE YUKI.
D'AC... D'ACCORD.

MERDE !
RATÉ.

MISSIONNAIRE
PONYO
EN VOTRE
FAVEUR

PFFF...

QU'EST-CE QUE JE FOUS LÀ ?

HÉ, VALENTINE !
AH !

ALORS, Y A QUOI DE BIEN ?
MOI, J'AIMERAIS BIEN VOIR LE NOUVEAU TIM BURTON, OU ALORS LE DESSIN ANIMÉ JAPONAIS .
PONYO

UN DESSIN ANIMÉ ?
C'EST POUR LES GOSSES ! ON VA PAS ALLER VOIR ÇA !

AH BON...
ET TIM BURTON, C'EST UN PEU GLAUQUE, NON ?

BON.
ET SI ON ALLAIT VOIR UNE COMÉDIE ?
SI TU VEUX...

C'ÉTAIT SYMPA, NON ?
HUM...

BON, MOI, JE VAIS Y ALLER...
ATTENDS ! JE VOULAIS AUSSI TE FAIRE ÉCOUTER UN TRUC À LA FNAC...

HEU...
ALLEZ, Y EN A POUR TROIS MINUTES.

BON, O.K. !
HÉ, HÉ ! TU VAS VOIR, ÇA VA TE PLAIRE !

RAHHH ! QUELLE DÉBILE !

bandes dessinées

ALORS, ÇA DÉCHIRE, NON ?
HEU... C'EST UN PEU VIOLENT, NON ?
ON LA REPREND AVEC MON GROUPE, CELLE-LÀ !

AH BON ?
ATTENDS, Y A UN AUTRE GROUPE QUE JE VOULAIS TE FAIRE ÉCOUTER.

ALORS, IL DEVRAIT ÊTRE PAR LÀ...

HEU... JE VAIS VOIR LES MANGAS PENDANT QUE TU CHERCHES...

BON, JE NE LE TROUVE PAS, ILS NE DOIVENT PAS L'AVOIR.
AH...

HEU... TU FAIS QUOI, LÀ ?

JE FINIS DE LIRE ÇA ET JE VAIS RENTRER...

AH...

...

BON, BEN, À PLUS...
À PLUS !

SOUPIR...

XPOSANTS

2007

... NOTRE STAND EST PRESQUE PRÊT. DEMAIN, THIERRY, UN COPAIN DE MA CLASSE, VIENDRA AVEC LES DERNIÈRES AFFAIRES.
JE TIENS VRAIMENT À VOUS REMERCIER, C'EST SUPER ! SANS VOUS, ÇA N'AURAIT PAS ÉTÉ POSSIBLE !
DE RIEN, YAMINA, ÇA ME FAIT PLAISIR DE VOUS AIDER DANS CE PROJET...
JE NE SAVAIS PAS QU'IL Y AVAIT AUTANT DE CHOSES QUI TOURNAIENT AUTOUR DU MANGA. C'EST IMPRESSIONNANT !

ET VALENTINE M'A DIT QUE TU AVAIS MÊME PRIS "JAPONAIS" EN OPTION ! CE N'EST PAS TROP DUR ?
C'EST PAS FORCÉMENT ÉVIDENT, MAIS JE TROUVE ÇA SUPER INTÉRESSANT.
AVEC LES IDÉOGRAMMES, C'EST UNE FAÇON COMPLÈTEMENT NOUVELLE D'ABORDER L'ÉCRITURE...

ET À FORCE DE REGARDER DES DESSINS ANIMÉS EN JAPONAIS...
... J'AI L'IMPRESSION QUE C'EST UNE LANGUE QUI M'EST FAMILIÈRE.

POURTANT, MON PÈRE N'ÉTAIT PAS TROP D'ACCORD AU DÉBUT...
IL NE COMPRENAIT PAS POURQUOI JE NE PRENAIS PAS PLUTÔT "ARABE".

MAIS C'EST DE L'ARABE LITTÉRAIRE, AU LYCÉE, ET ÇA NE M'INTÉRESSAIT PAS VRAIMENT.

ET SI JE VEUX TRAVAILLER DANS LE DOMAINE DU MANGA PLUS TARD, C'EST MIEUX D'APPRENDRE LE JAPONAIS...
C'EST BIEN D'AVOIR DÉJÀ UNE IDÉE DE CE QU'ON VEUT FAIRE PLUS TARD.
VALENTINE, QUAND ELLE ÉTAIT PETITE, ELLE VOULAIT SAUVER LES PANDAS ET DONC PLUTÔT S'ENGAGER DANS CETTE VOIE...

MAIS MAINTENANT ? HEIN, VALENTINE ?

JE SAIS PAS TROP...

HUM... C'EST VRAI QUE C'EST PARFOIS DUR DE SE PROJETER DANS LE FUTUR...
BOH, VOUS ÊTES ENCORE JEUNES, VOUS AVEZ UN PEU DE TEMPS AVANT DE VOUS DÉCIDER.

LES LEMMINGS

THIERRY, VALENTINE...
JE DOIS VOUS DIRE QUE CE MOMENT EST COMME UN RÊVE QUI SE RÉALISE, JE SUIS UN PEU ÉMUE !

HÉ, ÇA REND BIEN, TOUS LES DESSINS AU MUR !
HÉ OUI, C'EST MON PETIT STAND CHÉRI !

JE VOUS LAISSE FAIRE LE PREMIER RELAIS, LES FILLES. JE VAIS FAIRE UN PETIT TOUR...
ON TOURNERA ENSUITE.
OUAIS, VAS-Y ! NOUS, ON A DÉJÀ JETÉ UN COUP D'OEIL HIER...

Wakfu

AMER BETON

OUI, ON SENT DANS TON GRAPHISME UNE GRANDE SENSIBILITÉ...

ÇA ME RAPPELLE CERTAINES PEINTURES DU DÉBUT DU SIÈCLE DERNIER...
L'"ART NOUVEAU", TU DEVRAIS T'Y INTÉRESSER, ÇA TE PLAIRA.

HA, VALENTINE, T'ES REVENUE !
FIGURE-TOI QUE MICHEL ÉTAIT DANS NOTRE LYCÉE L'ANNÉE DERNIÈRE.
HEU... SALUT !
MAINTENANT, IL EST À LA FAC D'ARTS PLASTIQUES.

JE LUI EXPLIQUAIS QUE J'ÉTAIS TRÈS SENSIBLE À SON ART. JE TROUVE CE QU'ELLE FAIT VRAIMENT FORMIDABLE.

HA ?

IL M'A INDIQUÉ UN SUPER MAGASIN DE MANGAS DANS NOTRE VILLE. FAUDRA QU'ON Y AILLE !
POUR DES FILLES COMME VOUS, ÇA SERA BEAUCOUP MIEUX QUE LA FNAC ET AUTRES SUPERMARCHÉS DE LA CULTURE.

HA ?
DES FILLES COMME NOUS ?

EH BEN ! ILS SE SONT VACHEMENT AMÉLIORÉS DEPUIS L'ANNÉE DERNIÈRE...

C'EST VRAI ?
MOI, C'EST LA PREMIÈRE FOIS QUE JE LES VOIS, ET JE SUIS GRAVE IMPRESSIONNÉE !
HÉ ! JE PARLE NORMALEMENT AVEC FÉLIX !

OOH, JULIETTE ! J'SUIS DÉGOÛTÉE POUR VOUS !

BAH ! FAUT PAS, LES AUTRES ÉTAIENT VRAIMENT MEILLEURS !

C'EST CLAIR, CELUI AVEC SA CASQUETTE, IL M'A BIEN IMPRESSIONNÉ.
À FOND ! IL M'A UN PEU LAISSÉE SUR LE CUL !
UNE DE CES SOUPLES-SES !

HÉ ! MAIS TOI, VALENTINE, T'ES SUPER SOUPLE, TU DEVRAIS ESSAYER DE FAIRE UNE OU DEUX FIGURES.
HEIN ? MOI ? TU CROIS ?

POUR LES *FREEZES*, LA BASE, C'EST L'ÉQUILIBRE.
APRÈS, FAUT JUSTE BLOQUER LA POSE ET TENIR QUELQUES SECONDES. JE SUIS SÛRE QUE TU SAURAIS LE FAIRE !

MOI, JE NE SAIS PAS LE FAIRE SUR UNE SEULE MAIN COMME MELVIN, MAIS BON...
HUM... O.K. !

... JE PEUX TE FAIRE LE *FREEZE* DE BASE.

HOP ! TU VOIS...
O.K. TU FAIS L'ÉQUILIBRE, ET APRÈS...

OUAIS, TU LE TIENS BIEN LÀ ?

O.K., MAINTENANT TU PLIES LES JAMBES...

ATTENDS, CAMBRE-TOI UN PEU PLUS...
HEU...

OUPS, ATTENTION !
HA !

HAAAAAAA !

PFFF, ÇA VA ?
OUAIS ! ET TOI ?

HA, HA, HA, HA, HA, HA !

ÇA, LES FILLES, C'ÉTAIT MERVEILLEUSEMENT EXÉCUTÉ !
N'IMPORTE QUOI !
J'AI VU LA FIGURE, ELLE ÉTAIT FRANCHEMENT PAS MAL ! FAUDRA LA TRAVAILLER ENCORE UN PEU, MAIS Y A DU POTENTIEL !

HA, HA ! AVEC CELLE-LÀ, ON VA GAGNER NOTRE PROCHAIN *BATTLE*, C'EST CLAIR !
HA, HA !

JE VEUX ÊTRE LÀ POUR VOIR ÇA ! HA HA HA !

VALENTINE !
Photos-212.jpg
options

TON PULL !
COMBIEN DE FOIS T'AI-JE DIT QUE LES PORTE-MANTEAUX, CE N'EST PAS FAIT POUR LES CHIENS ?!

OUPS, PARDON, MAMAN !
JE VAIS PLUTÔT LE MONTER...
ET SI TU LE VEUX PROPRE POUR CETTE SEMAINE, METS-LE TOUT DE SUITE DANS LE PANIER À LINGE SALE !
JE VAIS FAIRE UNE LESSIVE DE LAINE CE SOIR.

EN TOUT CAS, TU L'AURAS BIEN PORTÉ, CE PULL !
HEUREUSEMENT QUE TU NE L'AS PAS VENDU À LA BRADERIE, FINALEMENT !

ET CES CHAUSSURES-LÀ, AH LÀ LÀ...

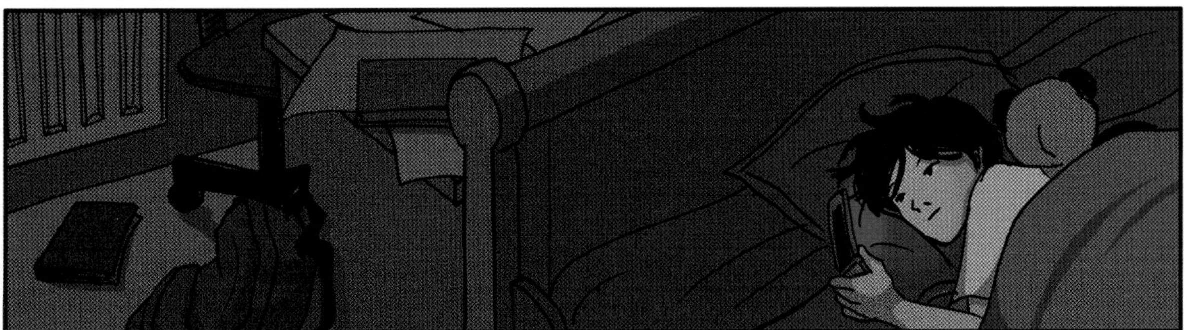

HÉ, SALUT, FÉLIX ! ÇA VA ?
HA, VALENTINE !

ÇA VA BIEN ET TOI ?
ÇA VA BIEN ! TRANQUILLE.

Y A EU PLUSIEURS STYLES DE DANSE, DU *BREAK*, DU *POPPING*, DU *NEW STYLE*... ET JULIETTE ET MELVIN ONT TROP BIEN DANSÉ DANS LEUR CATÉGORIE.
MAIS EN QUART DE FINALE, ILS SONT TOMBÉS SUR PLUS FORTS QU'EUX ! Y EN A QUI SONT VRAIMENT HYPER BALÈZES !

C'ÉTAIT VRAIMENT GÉNIAL !
JULIETTE M'A PROPOSÉ D'EN FAIRE UN PEU AVEC ELLE, SI JE VEUX. J'AIMERAIS BIEN ESSAYER...

HU, HU !
COMME J'AI FAIT DE LA GYM AVANT, J'AI DÉJÀ QUELQUES BASES...

VAS-Y, BAPTISTE, ARRÊTE AVEC TES CHATOUIL-LES !

HU, HU !
ON MANGE ENSEMBLE ?

OUAIS ! À LA BOUFFE ! J'AI TROP FAIM !

HA ! PAS TROP TÔT !

FAIS GAFFE, T'ES SUIVIE PAR UN BANC DE THONS !
AH, AH, TRÈS DRÔLE !

BON, ON Y VA ?

JUSTEMENT, Y A GAËLLE ET BAPTISTE QUI VOULAIENT QU'ON MANGE ENSEMBLE.
QUOI ? Y A PAS MOYEN !

ATTENDS ! ON VA PAS MANGER AVEC CES LOOSERS !
J'AI DES TRUCS HYPER PERSO À TE RACONTER, ET TOI, TU VEUX M'IMPOSER TES POTES RELOUS !

OH, ON EN PARLERA UNE AUTRE FOIS !
S'ILS VIENNENT, JE ME CASSE.

PUTAIN, J'Y CROIS PAS !
BEN, C'EST ÇA, MANGE AVEC TES POTES CRAIGNOS !

...

BON, VOUS VENEZ ?

ET ÉMILIE ALORS ? TU... ON MANGE PAS AVEC ELLE ?
BEN, APPAREMMENT NON...

HÉ ! SALUT, FÉLIX, ÇA VA ?
HA ! SALUT !

ÇA VA, ET TOI ?
ÇA VA. MAIS J'AI HYPER FAIM !

T'AS DÉJÀ MANGÉ, TOI ?
HEU... OUAIS.

O.K., BEN NOUS, ON Y VA, ALORS !
BON APP' !
MERCI !

C'EST FÉLIX, UN POTE DE JULIETTE. IL ÉTAIT AUSSI AU *BATTLE*.

T'AS VRAIMENT ENVOYÉ CHIER ÉMILIE, CE MIDI ?
OUAIS, ELLE M'A SOÛLÉE !
ELLE NE VOULAIT PAS MANGER AVEC BAPTISTE ET GAËLLE PARCE QU'ILS SONT MOCHES ET QU'ELLE VOULAIT ME PARLER DE TRUCS PRIVÉS.

DE QUEL GENRE DE TRUCS PRIVÉS ?
TU PARLES D'UN CRITÈRE !

J'SAIS PAS ! SANS DOUTE ENCORE DE SON RÉGIME...
PARCE QU'ELLE VEUT AVOIR UN CORPS PARFAIT POUR SA PREMIÈRE FOIS !

AH, AH, NOON ! C'EST VRAI, CETTE CONNERIE ? C'EST POUR ÇA QU'ELLE N'A PAS ENCORE COUCHÉ ?!
MAIS OUAIS !
ELLE EST GRAVE, ELLE !

MAIS QU'ELLE SE FASSE SAUTER ET QU'ON N'EN PARLE PLUS ! ÇA FAIT DES PLOMBES QUE ÇA DURE !
HA HA, NON ! COMMENT T'EN PARLES ! COMME D'UNE CHIENNE EN RUT !
AH ! REGARDE ! C'EST LÀ, LA BOUTIQUE !
Manga no Yume
rêve de manga

J'ESPÈRE QU'ILS AURONT L'ART-BOOK QUE J'AI VU À LA CONVENTION ET QUE J'AI PAS ACHETÉ !
BONJOUR !

OUIII ! LE NOUVEAU TOME D'"ANGEL GOTHIC LOLITA" !

HÉ, Y A AUSSI SA NOUVELLE SÉRIE !
AAAH, J'AI ENVIE DE LE LIRE TOUT DE SUITE ! EST-CE QUE SATOSHI REVIENT ?
TIENS...

VOUS ICI ?
!!

HA, MICHEL !
C'EST MARRANT DE TOMBER SUR TOI, DÈS NOTRE PREMIÈRE VISITE !
C'EST QUE CETTE BOUTIQUE EST UN PEU MA DEUXIÈME MAISON.

ET ALORS, VOTRE FANZINE, ÇA AVANCE ? T'AS REGARDÉ UN PEU LES PEINTURES DONT JE T'AVAIS PARLÉ ?
UN PEU, MAIS COMME ON A EU PAS MAL DE DEVOIRS CES DERNIERS TEMPS, JE N'AI PAS EU LE TEMPS DE PASSER À LA BIBLIOTHÈQUE...

MOI, J'EN AI, DES BOUQUINS...
SI TU VEUX, JE T'EN PRÊTERAI.
AH, BEN, ÉCOUTE, SI ÇA NE TE DÉRANGE PAS...
DONNE-MOI TON NUMÉRO, COMME ÇA, ON SE RENCARDERA...

COUCOU !
AAAAAAAAH !

ÇA VA ?
BAPTISTE ?
QU'EST-CE QUE TU FAIS LÀ ? COMMENT TU SAIS OÙ J'HABITE ?
C'EST FACILE, T'ES DANS LES PAGES BLANCHES.

ENFIN, PAS TOI, TA MÈRE.
JE SAVAIS PAS SON PRÉNOM, MAIS J'Y AI ÉTÉ AU FEELING, EN FONCTION DE TON ARRÊT DE BUS.

HIER, JE SUIS DÉJÀ VENU, MAIS UN PEU TROP TARD, T'ÉTAIS DÉJÀ PARTIE...
OH, PUTAIN ! LE PSYCHOPATHE...

MERDE !
C'EST EXACTEMENT CE QUE J'AI FAIT POUR TROUVER LA MAISON DE FÉLIX !

C'EST SYMPA, NON ? ON POURRAIT FAIRE ÇA TOUS LES MATINS !

AH ?
HEU... BEN, EN FAIT...

TU VOIS, LE MATIN, QUAND J'AI LA TÊTE DANS LE CUL, J'AIME BIEN ÊTRE TRANQUILLE AVEC MA MUSIQUE...

C'EST MON PETIT MOMENT À MOI, ALORS, HEU... TU VOIS...
JE VOIS, C'EST BON, LAISSE TOMBER.

EN TOUT CAS, FAUT ABSOLUMENT REMERCIER TA MÈRE. FRANCHEMENT, ELLE A ÉTÉ HYPER COOL SUR CE COUP-LÀ !
C'EST CLAIR, SANS ELLE, LE BUDGET N'AURAIT CARRÉMENT PAS ÉTÉ LE MÊME...
ET JE CROIS QU'ON N'Y SERAIT PAS ALLÉS.
AH BON ? VOUS TROUVEZ ?
C'EST PAS MA MÈRE QUI AURAIT FAIT ÇA !
OUAIS, QUAND TU VOIS MES PARENTS À CÔTÉ, JE CROIS QUE TU CAPTES MÊME PAS TA CHANCE, VALENTINE !
ATTENDS ! ELLE NOUS A MÊME EMMENÉES AU RESTO JAPONAIS ! ELLE N'ÉTAIT PAS OBLIGÉE.
YAAAH ! UN RESTO JAPONAIS ! LA CHANCE !
ET VOUS AVEZ MANGÉ DES SUSHIS ? J'AIMERAIS TROP EN GOÛTER ! C'EST BON ?
OUI, C'EST BON. MAIS JE CROYAIS QUE T'ÉTAIS VÉGÉTARIENNE ?
OUAIS, MAIS POUR LA CUISINE JAPONAISE, JE VEUX BIEN FAIRE UNE EXCEPTION !
BON, MAIS SINON, POUR LE PROCHAIN NUMÉRO, ALORS...
... ON FAIT UN COMPTE RENDU DE LA CONVENTION ?
BEN, OUAIS ! C'ÉTAIT TROP BIEN ! EN PLUS, THIERRY A PRIS DE BELLES PHOTOS DE COSPLAY...
BON COURS DE JAP !

QU'EST-CE QU'IL FAIT, CE CON ?

...

BON...

BAPTISTE...

ON MANGE ENSEMBLE ?
HEU... OUAIS.

HÉ, VALENTINE ! T'ES TOUTE SEULE ? VIENS MANGER AVEC NOUS !

HA, HEU...

AH, BAPTISTE, JE T'AVAIS PAS VU, TU PEUX VENIR AUSSI, BIEN SÛR !

MISS VALENTINE, SIT DOWN, PLEASE...
ON VA VOUS FAIRE UN PEU DE PLACE !
MERCI !

ON ÉTAIT EN TRAIN DE PARLER DU NOUVEAU MORCEAU DE GUS BORO.

AH ? JE CONNAIS PAS.
MAIS SI ! LEUR TUBE PRÉCÉDENT, C'ÉTAIT "STRANGE APARTMENT".

AH ?
ÇA ME DIT RIEN...
MAIS SI ! ÉCOUTE !
I'M FUCKING GOD, IT'S SO FRIGHTENING, I OPEN THE BATHROOM DOOR AND SEE...

YEAH ! TROP BON !

STRANGE STRANGE APARTMENT BIG BIG MYSTERY FLAT !

HA, HA !

BREF, ET LEUR NOUVEAU MORCEAU EST SUPER SYMPA AUSSI.
J'TE FILERAI LE MP3, SI TU VEUX.

AH OUI, D'ACCORD !

HÉ ! AU FAIT ! MES PARENTS SE BARRENT PENDANT UNE SEMAINE, FIN JUIN...
JE VAIS EN PROFITER POUR FAIRE UNE GROSSE SOIRÉE POUR FÊTER LES VACANCES ! J'VAIS ESSAYER D'INVITER UN MAXIMUM DE MONDE !
COOL, ÇA VA BIEN DÉFONCER !
J'VOUDRAIS INVITER PLEIN DE VIEUX POTES DU COLLÈGE QUE JE NE VOIS PAS SOUVENT.
VOUS POURREZ DORMIR À LA MAISON, RÉSERVEZ VOTRE WEEK-END !

MOI, JE TROUVE QUE DANS LE DERNIER TOME, ÇA CRAINT UN PEU...
HEIN ? MOI, JE L'AI TROUVÉ AUSSI BIEN !
C'EST QUAND MÊME HYPER GLAUQUE !
LA FILLE VA SE FAIRE VIOLER, MAIS "HEUREUSEMENT" ELLE EST SAUVÉE PAR LE MEC QUI LA HARCÈLE D'HABITUDE !
JUSTEMENT, C'EST ÇA QUI EST TROP TRIPANT !
EST-CE QUE ÇA VA CHANGER LEURS RAPPORTS ?
EST-CE QU'ELLE VA TOMBER DANS SES BRAS ?
ARRÊTE, C'EST TROP ABUSÉ !
LA FILLE EST CRUCHE, LES MECS SONT TOUS DES OBSÉDÉS, VOIRE LIMITE DES VIOLEURS...
JE SUIS D'ACCORD AVEC YAMINA, JE TROUVE QUE ÇA VIRE TROP AU MALSAIN.
... SI LE PROCHAIN TOME EST DU MÊME GENRE, JE CROIS QUE JE VAIS ARRÊTER LA SÉRIE.

OUAIS, MAIS C'EST POUR MONTRER COMMENT C'EST AU JAPON.
ÇA DÉNONCE QUE DANS CERTAINS MILIEUX, C'EST COMME ÇA...

MOUAIS, ÇA ME SEMBLE JUSTE RACOLEUR...
ÇA M'ÉTONNERAIT QUE ÇA SOIT VRAIMENT COMME ÇA LÀ-BAS.
JE TROUVE ÇA DÉGRADANT POUR LA FEMME !

OH ! ÇA VA ! C'EST QU'UN MANGA !
ÇA N'EMPÊCHE PAS DE TRANSMETTRE CERTAINES VALEURS...

ON DEVRAIT PARLER DE TOUT ÇA DANS UN ARTICLE DU FANZINE !
HÉ ! OUAIS ! ÇA SERAIT INTÉRESSANT !

TU SAIS, YUKI, JE TE L'AI DÉJÀ DIT, MAIS...
... POUR MOI, C'EST UN PEU COMME TON SERRE-TÊTE DE SOUBRETTE...

ÇA TRANSMET UNE VALEUR, C'EST PAS ANODIN. JE TROUVE ÇA RABAISSANT, EN FAIT.

MOUAIS, C'EST FACILE POUR TOI !
T'ES BELLE ET MINCE, T'AS PAS BESOIN D'AVOIR UN SUPER STYLE POUR TE FAIRE REMARQUER.

N'IMPORTE QUOI ! SI TU FAIS ÇA POUR ÇA, C'EST ENCORE PLUS STUPIDE.

T'ES JOLIE, EN PLUS, YUKI !
T'AS PAS À TE RABAISSER PARCE QUE T'ES COMPLEXÉE !

T'AS VU, QUAND LE PROF S'EST RETOURNÉ, LA VOLÉE DE SCUDS EN PAPIER QUI ONT TRAVERSÉ LA SALLE !
TROP BON !
OUAIS, LE PROF A DÛ BLOQUER ! UN COUP, LA SALLE EST PROPRE, UN COUP, IL SE RETOURNE, C'EST PLEIN D'AVIONS EN PAPIER PAR TERRE !

SALUT, MATHYS !
AH, VALENTINE !
BON, ON Y GO, J'AI TROP LA DALLE, MOI !

AU FAIT ! EUX, C'EST DES GARS DE MA CLASSE, MAIS JE SAIS PAS SI ÇA VAUT LA PEINE QUE JE TE LES PRÉSENTE PARCE QUE C'EST DES ENCULÉS.
HA...
MÊME AVEC TES COPINES D'ENFANCE, T'AS UN HUMOUR POURRI ?

AH ! MAIS C'EST PAS DE L'HUMOUR !
HA, HA ! QUEL TROU-DU-CUL !
BON... C'EST CLÉMENT ET MAXIME. MAIS TU PEUX LES APPELER BEN ET NUTS.
HEU... O.K. !

HA, HA !
T'ES TROP CON...

OH, PUTAIN, LES GARS...

MATEZ ÇA, LA SERVEUSE, ELLE A DE CES POUMONS !

HUUU, JE LUI FERAIS BIEN DU BOUCHE-À-BOUCHE...
ET... HUM, TU CROIS QU'ELLE AIME BIEN LA SAUCE BLANCHE ?

QU'EST-CE QUE JE VOUS SERS ?
PFFFF...
HEU... J'AI PAS ENCORE CHOISI. ALLEZ-Y, LES AUTRES...
HÉ, HÉ !
HEU... MOI, JE VAIS PRENDRE UNE GALETTE POULET.
HI, HI, HI !
QUELLE SAUCE ?
PFFFF...

IL EST CON, DES FOIS...

YAMINA ?

HEU... SALUT, MICHEL !
HA, VAL' ! ÇA VA ?
HEU... OUI, OUI.

HEU... ON SE VOIT TOUT À L'HEURE À LA RÉUNION MANGA ?

O.K. !

ELLE AURAIT PU M'EN PARLER...

HÉ, VALENTINE ! JE FÊTE MON ANNIVERSAIRE CHEZ MOI, SAMEDI MIDI.
ÇA TE DIT DE VENIR ?

COOL...

HEU... OUAIS ! POURQUOI PAS ?

JE VAIS AUX TOILETTES, VOUS GARDEZ MON SAC ?

!
PARCE QU'EN FAIT BARBARA, ELLE EST SORTIE AVEC MON EX DE QUAND J'ÉTAIS EN 5e...
BON, C'ÉTAIT UN MEC COMPLÈTEMENT NUL ET C'EST MOI QUI L'AVAIS LARGUÉ, MAIS QUAND MÊME, J'ÉTAIS DÉG' !

HA...
ET ALORS, DEPUIS, ON SE DÉTESTE...

J'SUIS DÉBILE, POURQUOI JE ME CACHE, MOI ?

DU COU
QUAN
VALENT
LUI A...
HAAAN ! OPHÉLIE, AU FAIT ! T'AS REGARDÉ L'ÉMISSION HIER ? C'ÉTAIT GÉNIAL, IL A FAILLI Y AVOIR BASTON !
TU VOIS, LE MEC AUX CHEVEUX LONGS...

ILS L'ONT TOUS INSULTÉ QUAND ILS ONT DÉCOUVERT QU'IL AVAIT PRIS TOUT LE MONDE EN TRAÎTRE.
POUR PARTICIPER À CETTE ÉMISSION, FAUT ÊTRE UN POURRI, SINON ÇA SERT À RIEN...
ÇA SE VOYAIT TROP QU'IL ÉTAIT FOURBE, LUI ! MOI, J'EN ÉTAIS SÛRE !

J'AURAIS TROP AIMÉ QUE ÇA DÉGÉNÈRE EN BASTON.
MAIS Y A LES FILLES QUI SE SONT INTERPOSÉES...

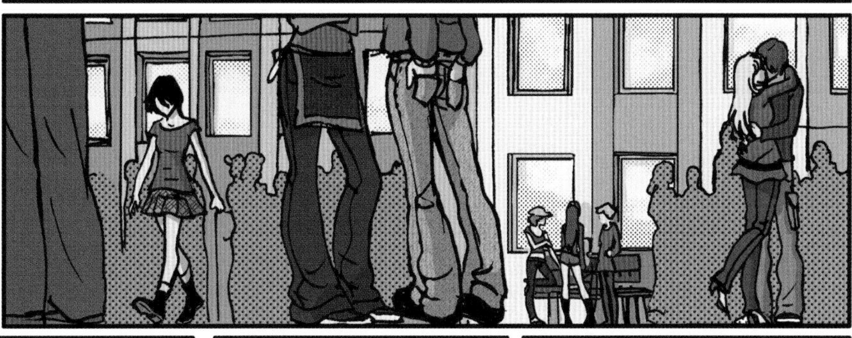

BON ANNIVERSAIRE, BAPTISTE !
MERCI ! ET MERCI D'ÊTRE VENUE.

JE T'EN PRIE...

BONJOUR, JEUNE FILLE !
AH ! ELLE EST LÀ !
BIENVENUE !

ALLEZ, VAS-Y, INSTALLE-TOI !
C'EST QUOI, CETTE ARNAQUE ?
Y A QUE MOI ? AVEC SES PARENTS ?

ET VOILÀ MA CHAMBRE.

ASSIEDS-TOI SUR LE LIT, SI TU VEUX. JE VAIS METTRE DE LA MUSIQUE.

...

OOOH !

IL EST EXCELLENT, TON PANDA, BAPTISTE ! JE PEUX LE PRENDRE ?

ATTENDS, JE TE LE DESCENDS.
C'EST DOUDINOURS, TU VAS VOIR, IL EST COOL !

AH, J'CROIS QU'IL T'AIME BIEN ! IL A L'AIR TOUT CONTENT DE DESCENDRE DE SON ÉTAGÈRE !
IL EST HYPER MIGNON !

MOI AUSSI, J'EN AI UN !

IL S'APPELLE PANDY, JE L'AI EU QUAND J'AVAIS 3 ANS ET...

ET HEU...
...

HÉ !
HA !
HEU... C'EST TA GUITARE ? ELLE EST CLASSE ! JE PEUX LA VOIR DE PLUS PRÈS ?

HEU... JE REMETS DOUDINOURS À SA PLACE, HEIN !
O.K. !

HAA !
YEAAHA ! JE TE TIENS !

MAIS !
HA, HA ! JE TE LÂCHE PLUS MAINTENANT !

ARRÊTE !
BAPTISTE !

AAAH ! DÉGAGE !

EEERK !

HELLO, VALENTINE ! ÇA VA ? T'AS TROUVÉ FACILEMENT ?
OUI, PAS DE PROBLÈME...
VAS-Y, ENTRE !

AAAAH ! RUDY !
T'ES VENU !

SALUT, MA VIEILLE ! COMMENT ÇA VA ?
YAAH !
ÇA ME FAIT TROP PLAISIR DE TE VOIR !

C'EST SUPER QUE T'AIES PU TE LIBÉRER.
DEPUIS LE TEMPS QU'ON NE S'EST PAS VUS !

HEU... JE RENTRE, HEIN ?
OUI, OUI, VAS-Y, VALENTINE !

SALUT, VALENTINE ! ÇA VA ?
SALUT !

ALORS, ON DIT PLUS BONJOUR ?
?

TU NE TE SOUVIENS PAS DE MOI ?
HEU... PAS TROP, NON.

L'ANNÉE DERNIÈRE, DANS LE SQUARE AVEC TES COPINES ET CHRISTOPHE QUI SORTAIT AVEC ÉMILIE...
Y AVAIT AUSSI MARC, QUI VOUS A COURU APRÈS, ET PUIS UN GARS INSIGNIFIANT...
... C'ÉTAIT MOI.

AH OUI, PEUT-ÊTRE...

ALLEZ-Y, RENTREZ, Y A DU MONDE DÉJÀ...
MELVIN ET JESSIE SONT DÉJÀ LÀ AUSSI ?
OUAIS, ILS SONT DANS LE JARDIN, JE CROIS.

AH ! C'EST FÉLIX !

BEN ? T'AS L'AIR TROP DÉG' ! ÇA VA ?

JE VAIS DEHORS.

AH ! ET AU FAIT...
... C'EST COMMENT, DÉJÀ, TON PRÉNOM ?
ÇA T'INTÉRESSE VRAIMENT ?
T'ES PAS OBLIGÉE DE ME PARLER, SI C'EST JUSTE PARCE QUE JE TE FAIS PITIÉ...
HEIN ? MAIS NON...
BON O.K., BONJOUR LA PARANO, ICI !

ALLEZ, MATHYS ! POURQUOI TU NE RÉPONDS PAS ?

HÉ, MISS ! IL TE RESTE UN PEU DE BIÈRE DANS TA BOUTEILLE ?

HA ? HEU... OUAIS, UN PEU...
SUPER ! J'PEUX T'EN PRENDRE UNE GORGÉE ?

TU ME LA REFILES APRÈS...
T'ATTENDS UN COUP DE FIL ?

PAS VRAIMENT...
BEN, FAUT PAS RESTER TOUTE SEULE, ALORS...

C'EST LES VACANCES, FAUT EN PROFITER !
HA !

OUPS ! EXCUSE !
ÇA VA ?

HA HA ! ÇA VA !
HÉ ! DIS-MOI, TU SERAIS PAS DU GENRE INSTABLE, TOI ?

TIENS,
TON VERRE
D'EAU !
MERCI.

ÇA VA
ALLER ?

OOOH...

HUMF...

HÉ, DIS ! QU'EST-CE QUE TU FAIS ?

JE REGARDE LES GENS DANS LA RUE.

ET JE PENSAIS À MON PÈRE.

QUAND J'ÉTAIS PETITE, J'ADORAIS QU'IL ME PRENNE DANS SES BRAS. JE LES TROUVAIS RASSURANTS ET FORTS.

MAIS EN FAIT, IL DEVAIT EN AVOIR DES PLUS PETITS QUE TOI.

IL N'EST PAS TRÈS GRAND, JE CROIS...
JE NE ME RAPPELLE PLUS BIEN, ÇA FAIT LONGTEMPS QUE JE NE L'AI PAS VU.

HEU... FAUDRAIT PAS QUE TU TARDES TROP À PARTIR...

MA FAMILLE VA BIENTÔT RENTRER DU MARCHÉ ET... HEU...
PAS DE PROBLÈME, DE TOUTE FAÇON, J'AVAIS DIT À MA MÈRE QUE JE RENTRAIS VERS 10 H.

TU VEUX UN VERRE DE JUS DE FRUIT AVANT DE PARTIR ?
OUI, JE VEUX BIEN.

JE ME SOUVIENS...

... D'UNE NUIT QUAND J'ÉTAIS PETITE. J'ÉTAIS ASSISE DANS MON LIT ET JE PLEURAIS...

JE PLEURAIS DEPUIS TELLEMENT LONGTEMPS QUE JE NE ME RAPPELAIS PLUS POURQUOI...

MAIS JE CONTINUAIS À PLEURER, PARCE QUE JE VOULAIS QU'ON VIENNE ME CONSOLER.

ET AU BOUT D'UN MOMENT, MON PÈRE S'EST RÉVEILLÉ, IL M'A CONSOLÉE ET JE ME SUIS RENDORMIE.

JE NE ME RAPPELLE TOUJOURS PAS POURQUOI JE PLEURAIS...

JE ME DEMANDE SI LUI SE SOUVIENT DE CETTE NUIT.

TIENS, TON JUS DE FRUIT.

QU'EST-CE QU'IL Y A ?

ÇA CHANGE PAS GRAND-CHOSE, EN FAIT...

QUOI ?

TOUT ÇA, CETTE NUIT...
HEIN ? HEU...

C'EST UN PEU FLOU, NON ?

T'AVAIS UN PEU BU, MAIS MOI AUSSI, MAIS C'ÉTAIT BIEN... HU, HU...

HUM...
BON, ALLEZ, J'Y VAIS !

MERCI POUR... HEU...

MERCI POUR LE RÉCONFORT.

HÉ,
JE T'AI
PAS FILÉ
MON
NUMÉRO...
JE LE
DEMANDERAI
À JULIETTE,
AU BESOIN...
J'Y VAIS.

BON, BEN...
À PLUS...

AU FAIT,
JE NE ME RAPPELLE
MÊME PLUS TON
PRÉNOM...

C'EST PAS GRAVE,
JE NE ME RAPPELLE
PLUS LE TIEN
NON PLUS.

SALUT !

PAPA...